¿VERDAD O RETO?

Un juego sexi de elecciones traviesas

EDICIÓN CALIENTE Y SALVAJE

J.R. James

Escrito por J.R. James

ISBN 13: 978-1-952328-96-1

Enciende todavía más tu vida amorosa y explora todos los libros para parejas de J.R. James:

Libros de juegos sexis para parejas

¿Verdad o reto? Un juego sexi de elecciones traviesas (Edición caliente y salvaje).

Libros - Charlas atrevidas para parejas

Hablemos sexy: Iniciadores de conversación esenciales para explorar los deseos secretos de tu amante y transformar tu vida sexual.

Los **TRES** libros de preguntas sexis de *Hablemos de...* en un volumen enorme por un precio reducido. ¡Ahorra ya!

Hablemos de fantasías sexuales y deseos: Preguntas e iniciadores de conversación para parejas que explorar sus intereses sexuales.

Hablemos de la no-monogamia: Preguntas e iniciadores de conversación para parejas que exploran las relaciones abiertas, el intercambio de parejas o el poliamor.

Hablemos de fetiches y manías sexuales: preguntas e iniciadores de conversación para parejas que exploran su lado perverso y salvaje.

¡Cambia tu vida sexual para siempre a través del poder de la diversión sexi con tu cónyuge, pareja o amante!

www.sexygamesfocouples.com

Vacaciones sexis para parejas

https://geni.us/Passion

CÓMO JUGAR

Las reglas de este juego son muy sencillas:

Se necesitan al menos dos personas para jugar (¡es el juego perfecto para parejas!). Los retos están escritos de forma que puedas jugar íntimamente con tu pareja o jugar con un grupo de personas. Si a tu pareja y a ti os gustan las aventuras, intentad jugar con otra pareja o incluso con más personas en una fiesta. ¡Más personas, más diversión!

Cada página consiste en una verdad (pregunta) y un reto (algo que el jugador deberá realizar). Turnaos para elegir verdad o reto. Si tú eres el que hace la pregunta, no reveles la pregunta o el reto, tu pareja debe elegir a ciegas. Si tu pareja elige «verdad», deberás hacerle la pregunta(s) de la página y deberá responder con sinceridad. Si elige «reto», deberá hacer exactamente lo que marca el reto. **Tu pareja no puede saber cuál es la verdad o el reto antes de tiempo, y no podéis saltar páginas. (NOTA: Si juegas en grupo, no puedes elegir a la misma persona dos veces seguidas para que te ayude a completar un reto. Debes alternar parejas). El consentimiento es clave, así que pide el consentimiento de todos los jugadores involucrados antes de realizar cualquier reto. Y como siempre, practica sexo seguro.**

No importa qué prueba escojas, el juego te llevará a conversaciones calientes y momentos picantes. ¿Quién sabe? Incluso podrías descubrir nuevas posibilidades sexuales para tus relaciones. ¡Solo queda divertirse! ¡Es el juego en el que todos ganan!

1
¿Verdad o reto?

VERDAD: ¿Alguna vez has hecho un trío? Si no, ¿te lo plantearías? ¿A quién elegirías de tercera persona?

O

RETO: Finge un orgasmo mientras miras a alguien a los ojos.

2

¿Verdad o reto?

VERDAD: ¿Quiénes son las tres personas con las que te gustaría acostarte si tuvieras la oportunidad?

O

RETO: Durante 30 segundos, susurra al oído de alguien cosas sexis y sucias que te gustaría hacer.

3

¿Verdad o reto?

VERDAD: ¿Alguna vez has tenido sexo con alguien sin saber su nombre? Si no, ¿tendrías que saber el nombre de ese persona para poder acostarte con él/ella?

O

RETO: Tienta lentamente a alguien con la lengua en cualquier parte de la cabeza, el cuello o la cara.

4

¿Verdad o reto?

VERDAD: ¿Alguna vez has visto a alguien teniendo sexo? Si no, menciona una pareja a la que te gustaría ver.

O

RETO: Haz una demostración de tu postura sexual más flexible.

5

¿Verdad o reto?

VERDAD: ¿Cuál ha sido el último sueño sexual que has tenido y quién estaba en él?

O

RETO: Quítate la camisa y baila frente a una ventana abierta durante 1 minuto.

6

¿Verdad o reto?

VERDAD: Además de tu pareja, ¿quién besa realmente bien?

O

RETO: Demuestra tus habilidades en el sexo oral con un objeto o alguna comida.

7

¿Verdad o reto?

VERDAD: ¿Alguna vez has enviado o recibido fotos sin ropa? Si no, elige a una persona a quien se la enviarías si tuvieras que hacerlo.

O

RETO: Hazte una foto muy sexi con el móvil de otra persona.

8

¿Verdad o reto?

VERDAD: ¿Alguna vez has tenido sexo en un lugar público? Si no, ¿dónde te gustaría hacerlo?

O

RETO: Quítale la camisa a alguien usando solo tus labios y dientes.

9

¿Verdad o reto?

VERDAD: ¿Quién es la persona más «inapropiada» con la que has tenido una fantasía?

O

RETO: Elige un jugador y con tu boca, avanza desde su muñeca hasta su oreja. ¡Hazlo lento y seductor!

10

¿Verdad o reto?

VERDAD: ¿Alguna vez has tenido una experiencia sexual en el trabajo?

O

RETO: Usando solo la punta de los dedos, trata de poner la piel de gallina a otro jugador.

11

¿Verdad o reto?

VERDAD: ¿Tienes alguna fantasía secreta que nunca has compartido con nadie más?

O

RETO: Bésate con alguien durante 30 segundos y con los ojos tapados.

12

¿Verdad o reto?

VERDAD: ¿Alguna vez has participado en un video sexual?

O

RETO: Deja que alguien te grabe haciendo algo sexi.

13

¿Verdad o reto?

VERDAD: ¿Cuál es el mensaje de texto más sucio que has enviado?

O

RETO: Envíale un mensaje de texto sucio a algún jugador.

14

¿Verdad o reto?

VERDAD: ¿Cuál ha sido la peor experiencia sexual que has tenido?

O

RETO: Durante un minuto, pon en práctica con otro jugador lo que para ti son unos buenos preliminares.

15

¿Verdad o reto?

VERDAD: ¿Cuántas parejas sexuales has tenido en tu vida? ¿Te gustaría que ese número fuera más alto o más bajo?

O

RETO: Elige una pareja y comenzando por su ombligo, besa suavemente hacia arriba por el pecho y el cuello, hasta llegar a los labios.

16

¿Verdad o reto?

VERDAD: ¿Cuál es tu juguete sexual favorito? Si no tienes ninguno, ¿cuál te gustaría probar?

O

RETO: Juega suavemente con la oreja de alguien usando solo la punta de la lengua.

17

¿Verdad o reto?

VERDAD:
¿Protagonizarías un video porno profesional por 5.000€? ¿Y por 500€? ¿50€?

O

RETO: Usa tu lengua para deletrear algo sexi en el cuerpo de un jugador.

18

¿Verdad o reto?

VERDAD: Elige a otro jugador para que te haga la pregunta que quiera.

O

RETO: Haz un estriptis erótico y quítate al menos tres prendas.

19

¿Verdad o reto?

VERDAD: Si tu pareja y tú tuvierais que hacer un intercambio con otra pareja, ¿a quiénes elegirías?

O

RETO: Elige una parte del cuerpo de alguien que normalmente no se considera erótica y bésala de forma seductora.

20

¿Verdad o reto?

VERDAD: ¿Cuál es tu posición sexual favorita y por qué?

O

RETO: Intenta poner caliente a alguien con el tacto, pero solo puedes tocar sus brazos y manos.

21

¿Verdad o reto?

VERDAD: ¿Qué manía o fetiche siempre te ha dado curiosidad por probar?

O

RETO: Intercambia ropa interior u otra prenda con otro jugador y llévala puesta durante 2 turnos.

22

¿Verdad o reto?

VERDAD: ¿Cuál ha sido la experiencia sexual más vergonzosa de tu vida?

O

RETO: Haz un masaje sensual en la zona púbica de alguien por encima de su ropa, durante 30 segundos.

23

¿Verdad o reto?

VERDAD: ¿Qué 3 cosas «no-sexuales» dirías que te excitan?

O

RETO: Come un trozo de comida lo más eróticamente posible.

24

¿Verdad o reto?

VERDAD: ¿Cómo calificarías tus habilidades en la cama? Explica por qué.

O

RETO: Elige a alguien y, tan seductoramente como puedas, demuestra cómo coquetearías en un bar.

25

¿Verdad o reto?

VERDAD: ¿Alguna vez has coqueteado con la pareja de otra persona?¿O lo han intentado contigo?

O

RETO: La última persona en haber completado un reto elegirá uno para ti.

26

¿Verdad o reto?

VERDAD: ¿Alguna vez has dado o recibido una «lluvia dorada»? Si no, ¿estarías dispuesto/a?

O

RETO: Enséñale a los demás jugadores las áreas en las que te gusta que te toquen. Además, enseña cómo te gusta que te toquen.

27

¿Verdad o reto?

VERDAD: Excluyendo a tu pareja actual, ¿quién de tu pasado era increíble en la cama?

O

RETO: Usando tu voz más sexi, dile a alguien 3 cosas que tenga que sean atractivas.

28

¿Verdad o reto?

VERDAD: ¿Alguna vez has tenido una experiencia con alguien del mismo sexo? (Alternativa: ¿Alguna vez has tenido una experiencia con alguien del sexo opuesto?)

O

RETO: Acuéstate, que alguien te vende los ojos y déjale usar las yemas de sus dedos, o algo suave, para trazar las curvas de tu cuerpo durante 1 minuto.

<u>29</u>

¿Verdad o reto?

VERDAD: ¿Cuál fue tu primera experiencia sexual? ¿Cambiarías algo de ella?

O

RETO: Besa y lame los labios de alguien, trata de que pierda el control y te devuelva el beso.

30

¿Verdad o reto?

VERDAD: Si solo pudieras tener sexo anal o sexo oral el resto de tu vida, ¿cuál elegirías?

O

RETO: Elige una pareja y véndate los ojos. Tienes que besar apasionadamente cualquier parte del cuerpo que pongan frente a tu boca.

31

¿Verdad o reto?

VERDAD: ¿Cuántas veces a la semana te masturbas? ¿Dónde lo haces normalmente?

O

RETO: Finge que eres una estrella porno y describe en detalle qué harías y con quién en tu primer video porno.

32

¿Verdad o reto?

VERDAD: ¿Alguna vez has nadado o corrido desnudo en un lugar público? Si no, ¿lo harías?

O

RETO: Pon una canción sexi y elige a una pareja para bailar sucio hasta que termine la canción.

33

¿Verdad o reto?

VERDAD: Si tuvieras que elegir un compañero de clase, de trabajo o un vecino para tener sexo, ¿a quién elegirías y por qué?

O

RETO: Con voz sexi y sensual, dile a alguien lo increíble que es en la cama mientras le coges las manos.

34

¿Verdad o reto?

VERDAD: ¿Qué fantasía has tenido alguna vez y nunca has compartido con nadie?

O

RETO: De forma lenta y seductora, chupa los dedos de alguien.

35

¿Verdad o reto?

VERDAD: ¿Cuáles crees que son tus cualidades físicas más atractivas?

O

RETO: Juega la siguiente ronda en ropa interior.

36

¿Verdad o reto?

VERDAD: Si fueras a hacer una orgía, ¿a qué seis personas invitarías?

O

RETO: Con un compañero, haced la introducción para una película porno cursi.

37

¿Verdad o reto?

VERDAD: ¿Cuál fue la primera película porno que viste?

O

RETO: Elige un alimento como sirope de chocolate o nata y lámelo del cuerpo de alguien (están excluidos el pene y la vagina... de momento).

38

¿Verdad o reto?

VERDAD: Si fueras estríper, ¿qué cinco canciones te gustaría bailar?

O

RETO: ¡Adivinad! Interpreta en silencio algo sexual y los otros jugadores tendrán que adivinar de qué se trata. El ganador recibe un beso apasionado.

39

¿Verdad o reto?

VERDAD: ¿En qué te gustaría mejorar en la cama?

O

RETO: Pide un voluntario, después, usando una regla o un objeto similar, dale en el trasero de forma sexi.

40

¿Verdad o reto?

VERDAD: ¿Qué es lo más pervertido que has hecho?

O

RETO: Desliza tu mano bajo tus pantalones (o vestido) y date placer durante 1 minuto.

41

¿Verdad o reto?

VERDAD: ¿Recuerdas algún orgasmo o experiencia sexual que destaque entre las demás?

O

RETO: Dale a un jugador un masaje sensual en el trasero durante 1 minuto.

42

¿Verdad o reto?

VERDAD: Excluyendo a tu pareja, ¿con quién de tu vida diaria que veas regularmente estarías dispuesto a acostarte?

O

RETO: Pide un voluntario, después, cógele del pelo suavemente y lame, besa y juega con su cuello durante 1 minuto.

43

¿Verdad o reto?

VERDAD: ¿Cuántas veces a la semana sueles tener un orgasmo?

O

RETO: Elige a alguien del cuarto y durante 30 segundos ruégale que tenga sexo contigo. Dile todas las formas en las que le darías placer.

44

¿Verdad o reto?

VERDAD: ¿Qué es lo más erótico que has leído?

O

RETO: Elige un compañero y lanzad una moneda. Si la moneda cae en «cara», entonces tienes que hacer lo que diga durante 30 segundos. Si cae en «cruz», muestra una parte de tu cuerpo a todos los presentes.

45

¿Verdad o reto?

VERDAD: ¿Cuáles crees que son las mejores técnicas para el buen sexo oral?

O

RETO: Haz que alguien lama de tu cuerpo un poco de la bebida de su elección.

46

¿Verdad o reto?

VERDAD: ¿Cuánto dinero se necesitaría para que tuvieras sexo con un extraño atractivo? ¿Y con un extraño normalito?

O

RETO: Escoge un voluntario, después, coge un dulce o algo de comida y ponlo en tu boca. Sin usar las manos, pasa el dulce de tu boca a la de tu compañero.

47

¿Verdad o reto?

VERDAD: ¿Cuál es la experiencia sexual más larga que has tenido? ¿Cuánto duró?

O

RETO: Dale un masaje de pies a alguien durante 1 minuto mientras le cuentas una historia sucia.

48

¿Verdad o reto?

VERDAD: Si tuvieras que elegir entre sexo brusco y apasionado o hacer el amor lento y suave por el resto de tu vida, ¿cuál elegirías?

O

RETO: Busca en el móvil o en un ordenador, algún video porno y enséñaselo a los demás. Explica qué es lo que te gusta de este video en particular.

49

¿Verdad o reto?

VERDAD: ¿Alguna vez ha tenido sexo en un coche, barco o avión? Si es así, cuenta la experiencia.

O

RETO: Haz que los otros jugadores escojan un atuendo sexi o una prenda de vestir para que te la pongas durante los siguientes tres turnos.

50

¿Verdad o reto?

VERDAD: ¿Qué es lo que te gustaría que tu(s) pareja(s) sexual(es) hiciera(n) mejor en la cama?

O

RETO: Pídele a alguien que te dibuje un «tatuaje» en un lugar que normalmente está cubierto con ropa. Pídeles que dibujen una imagen o una frase sucia.

51

Verdad o reto?

VERDAD: ¿Cuántas aventuras de una noche has tenido?

O

RETO: Usando solo tus pies, intenta excitar a alguien durante 1 minuto.

52

¿Verdad o reto?

VERDAD: ¿Alguna vez has pagado por sexo? Si no, ¿considerarías pagar si la persona fuera un famoso/a atractivo/a?

O

RETO: La última persona en haber completado un reto elegirá uno para ti.

53

¿Verdad o reto?

VERDAD: ¿Cuál es tu idea del preliminar perfecto?

O

RETO: Perrea en ropa interior.

54

¿Verdad o reto?

VERDAD: ¿Qué fantasía te gustaría probar?

O

RETO: Chupa, lame y besa el ombligo y cintura de un/a compañero/a durante 1 minuto.

55

¿Verdad o reto?

VERDAD: ¿Cuál es la parte de tu cuerpo que consideras tu «punto dulce»?

O

RETO: Pide un voluntario, luego pon tu mano debajo de su ropa interior y mantenla ahí durante 1 turno.

56

¿Verdad o reto?

VERDAD: ¿Qué prefieres, escupir o tragar?

O

RETO: Véndate los ojos, luego, durante 30 segundos, deja que los otros jugadores intenten excitarte en silencio.

57

¿Verdad o reto?

VERDAD: Si pudieras hacer que tres personas tuvieran un orgasmo ahora mismo, ¿a quién elegirías?

O

RETO: Haz que los otros jugadores te desnuden por completo. Quédate desnudo los siguientes 2 turnos.

58

¿Verdad o reto?

VERDAD: ¿Cuál es la posición sexual que menos te gusta y por qué?

O

RETO: Dale a un jugador un beso largo y húmedo en el trasero.

59

¿Verdad o reto?

VERDAD: ¿En qué le has mentido a alguien sobre sexo?

O

RETO: Cuenta una historia sucia durante 2 minutos y usa tantas palabras guarras y términos sexuales como puedas.

60

¿Verdad o reto?

VERDAD: ¿Cuál es tu deseo secreto más sucio?

O

RETO: Ve a otra habitación y llama por teléfono a uno de los otros jugadores. Tened sexo telefónico caliente durante 2 minutos.

61

¿Verdad o reto?

VERDAD: ¿En qué fantaseas o piensas cuando te masturbas?

O

RETO: Ponte delante de otro/a jugador/a y móntate encima durante 2 turnos. Frótate suavemente sobre él/ella mientras el juego continua.

62

¿Verdad o reto?

VERDAD: ¿Tienes algún arrepentimiento sexual? Si es así, ¿cuál es?

O

RETO: Elige cualquier libro o revista y léelo en voz alta de la manera más seductora posible.

63

¿Verdad o reto?

VERDAD: ¿Prefieres dominar o ser sumiso/a en la cama?

O

RETO: Besa y lame suavemente el interior de los muslos desnudos de otro jugador durante 1 minuto.

64

¿Verdad o reto?

VERDAD: ¿Alguna vez has estado en un club de alterne? Si no, ¿te importaría ir?

O

RETO: Hazle un chupetón a otro jugador en un lugar normalmente cubierto por ropa.

65

¿Verdad o reto?

VERDAD: Si tuvieras que tener sexo una vez más con algún ex, ¿a quién elegirías?

O

RETO: Pide a un voluntario/a que no se mueva mientras le quitas lentamente todo lo que lleva puesto. Comenta lo sexi que es mientras le quitas cada prenda.

66

¿Verdad o reto?

VERDAD: ¿Alguna vez has tenido un orgasmo estando completamente vestido/a? Si es así, explica lo que sucedió.

O

RETO: Durante 30 segundos, quítate la camiseta y pellízcate los pezones frente a los demás jugadores. Gime mientras lo haces.

67

¿Verdad o reto?

VERDAD: ¿Alguna vez has fantaseado con ver a tu pareja con otra persona?

O

RETO: Usando los dedos de otra persona, muéstrales cómo y dónde te gusta que te toquen.

68

¿Verdad o reto?

VERDAD: ¿Qué es algo que nunca harías en la cama sin importar qué?

O

RETO: La última persona en haber completado un reto elegirá uno para ti.

69

¿Verdad o reto?

VERDAD: Excluyendo a tu pareja, si tuvieras la oportunidad de que te hicieran sexo oral en este momento, ¿quién te gustaría que fuera?

O

RETO: Elige a un compañero y colocaos en la postura del «69». Podéis besaros, lameros o provocaros en cualquier parte de los muslos durante 1 minuto. ¡Sin desviarse al «punto dulce»!

70

¿Verdad o reto?

VERDAD: ¿Cómo fue tu primera experiencia con la masturbación?

O

RETO: De la manera en que se te ocurra, intenta hacer que otro jugador tenga un orgasmo en 4 minutos o menos. La única condición es que debéis permanecer vestidos.

71

¿Verdad o reto?

VERDAD: ¿Qué acto o posición sexual te gustaría ver hacer a otra persona?

O

RETO: Siéntate en las piernas de alguien y muévete durante 30 segundos mientras haces gemidos sexis.

72

¿Verdad o reto?

VERDAD: ¿Cuál es el mejor cumplido que alguien podría hacerte durante el sexo?

O

RETO: Quítale la ropa interior a alguien usando solo la boca y los dientes.

73

¿Verdad o reto?

VERDAD: ¿Qué es lo más loco que has hecho desnudo?

O

RETO: Dale un masaje sensual y seductor de 1 minuto a la persona de tu elección.

74

¿Verdad o reto?

VERDAD: ¿Cuál es la forma más rápida en que alguien puede hacerte llegar al orgasmo?

O

RETO: Ponte una ropa sexi que usarías si fueras estríper. Luego, pon una canción sexi y hazle un baile erótico a algún jugador.

75

¿Verdad o reto?

VERDAD: ¡Otro jugador puede hacerte la pregunta que quiera!

O

RETO: Usa un juguete sexual (u objeto alternativo) frente a los otros jugadores durante 1 minuto.

76

¿Verdad o reto?

VERDAD: Excluyéndote a ti, si tuvieras que elegir a una persona para que tu pareja tuviera sexo esta noche, ¿quién sería?

O

RETO: Hazte una foto con otro jugador estando desnudos en una posición sexual.

77

¿Verdad o reto?

VERDAD: ¿Cuál es el lugar más loco en el que te has masturbado?

O

RETO: Dale a alguien un masaje en el pecho sobre la piel desnuda durante 2 minutos.

78

¿Verdad o reto?

VERDAD: ¿Cuál es la experiencia sexual que te gustaría revivir otra vez?

O

RETO: Elige a un compañero y besa apasionadamente cualquier parte de su cuerpo durante 30 segundos.

79

¿Verdad o reto?

VERDAD: ¿Con quién sueles fantasear?

O

RETO: Sensualmente chupa y lame los dedos de los pies de alguien.

80

¿Verdad o reto?

VERDAD: ¿Alguna vez te ha atraído la madre o el padre de algún amigo?

O

RETO: Estando desnudo o vestido, deja que alguien juegue suavemente con tu ano usando sus dedos durante 30 segundos.

81

¿Verdad o reto?

VERDAD: ¿Alguna vez has tenido sexo delante de otra persona?

O

RETO: Deja que alguien juegue con tus pezones soplándolos o haciéndoles cosquillas con algo suave.

82

¿Verdad o reto?

VERDAD: ¿Prefieres que te den azotes, te esposen o te venden los ojos?

O

RETO: Elige a alguien y representa tu posición sexual favorita durante 30 segundos con esa persona.

83

¿Verdad o reto?

VERDAD: Si tuvieras que tener sexo en la playa, en la piscina o en el bosque, ¿cuál preferirías?

O

RETO: Deja que alguien te ate las manos y te vende los ojos. Déjale hacer lo que quiera durante 2 minutos.

84

¿Verdad o reto?

VERDAD: Si tuvieras que trabajar en la industria del sexo, ¿qué trabajo elegirías?

O

RETO: Deja que alguien te ponga sobre sus rodillas y te azote, fuerte.

85

¿Verdad o reto?

VERDAD: ¿Alguna vez has tenido sexo en el colegio o en el trabajo? ¿Con quién?

O

RETO: Elige a alguien y haz que recorra tu cuerpo con un cubito de hielo.

86

¿Verdad o reto?

VERDAD: Si tuvieras que tener sexo con alguien mientras tu pareja está mirando, ¿a quién elegirías?

O

RETO: Pídele a otro jugador que haga un juego de roles contigo. Tienes que interpretar cualquier papel y hacer lo que te indiquen durante 4 minutos.

87

¿Verdad o reto?

VERDAD: ¿Qué acto sexual le gusta a la mayoría de las personas? ¿Crees que está sobrevalorado?

O

RETO: Deja que alguien te grabe mientras te masturbas.

88

¿Verdad o reto?

VERDAD: ¿Qué tres cosas tienes en tu lista de deseos sexuales en este momento?

O

RETO: Elige a alguien y pasad 4 minutos realizando cualquier acto sexual en un lugar inusual (coche, bañera, mesa de comedor, exterior, etc.).

89

¿Verdad o reto?

VERDAD: ¿Alguna vez te has acostado con alguien que era virgen?

O

RETO: Elige un alimento como chocolate o nata y decora las partes sexis de otro jugador. Quítaselo con la lengua, complaciéndolo a medida que avanzas.

90

¿Verdad o reto?

VERDAD: Excluyendo a tu pareja, si pudieras tener sexo con alguien en este momento, ¿con quién sería?

O

RETO: Haz que otro jugador se ponga un cubito de hielo en la boca y te dé placer durante 30 segundos.

91

¿Verdad o reto?

VERDAD: Si pudieras tener un superpoder sexual, ¿cuál sería?

O

RETO: Debes permanecer completamente inmóvil y en silencio durante 2 minutos mientras los otros jugadores intentan darte placer. No puedes gemir, moverte, suspirar ni retorcerte.

92

¿Verdad o reto?

VERDAD: ¿Preferirías acostarte solo con personas extremadamente sexis o solo con personas que piensan que tú eres extremadamente sexi?

O

RETO: Pídele a otro jugador que te diga qué parte de su cuerpo lamerle. Tienes que obedecerle durante 1 minuto.

93

¿Verdad o reto?

VERDAD: ¿Cuál es la menor cantidad de tiempo que ha transcurrido entre tener sexo con dos personas diferentes?

O

RETO: Pide a un voluntario que se quite los pantalones y la ropa interior y que se arrodille en el suelo. Acuéstate boca arriba y desliza tu cabeza entre sus piernas. Durante 2 minutos, usa solo tu lengua para darle placer.

94

¿Verdad o reto?

VERDAD: ¿Alguna vez has dicho alguna mentira para llevarte a alguien a la cama?

O

RETO: Intenta hacer que otro jugador tenga un orgasmo sin usar las manos, la boca o cualquier tipo de penetración. Tienes 5 minutos.

95

¿Verdad o reto?

VERDAD: ¿Alguna vez te has ido o has echado a alguien inmediatamente después de tener sexo?

O

RETO: Elige a otro jugador y compite con él en sexo o masturbación. Quien llegue al orgasmo primero, gana.

96

¿Verdad o reto?

VERDAD: ¿Alguien te ha sorprendido teniendo sexo? Si es así, describe lo que sucedió.

O

RETO: Elige una pareja y complácela con tu mano mientras él hace lo mismo con la suya. Disfrutad el uno del otro durante 2 minutos.

97

¿Verdad o reto?

VERDAD: ¡Deja que otro jugador te haga la pregunta que quiera!

O

RETO: Mastúrbate mientras le das placer a otro jugador usando solo tus pies. Hazlo durante 2 minutos.

98

¿Verdad o reto?

VERDAD: ¿Alguna vez has tenido fantasías sexuales con un personaje ficticio?

O

RETO: Elige a alguien, apaga las luces y provócale como quieras durante 1 minuto.

99

¿Verdad o reto?

VERDAD: Si pudieras elegir entre dar o recibir orgasmos ilimitados, ¿cuál escogerías?

O

RETO: Busca en tu móvil o en el ordenador, un video porno corto. Escoge a alguien e interpreta lo mismo del video. Copia exactamente lo que están haciendo y diciendo.

100

¿Verdad o reto?

VERDAD: ¿Qué es lo que a la mayoría de la gente no le gusta en la cama, pero a ti te encanta?

O

RETO: Busca en tu móvil o en el ordenador una posición sexual difícil del Kama Sutra y pruébala con una pareja durante 3 minutos.

Enciende todavía más tu vida amorosa y explora todos los libros para parejas de J.R. James:

Libros de juegos sexis para parejas

¿Verdad o reto? Un juego sexi de elecciones traviesas (Edición caliente y salvaje).

Libros - Charlas atrevidas para parejas

Hablemos sexy: Iniciadores de conversación esenciales para explorar los deseos secretos de tu amante y transformar tu vida sexual.

Los **TRES** libros de preguntas sexis de *Hablemos de...* en un volumen enorme por un precio reducido. ¡Ahorra ya!

Hablemos de fantasías sexuales y deseos: Preguntas e iniciadores de conversación para parejas que explorar sus intereses sexuales.

Hablemos de la no-monogamia: Preguntas e iniciadores de conversación para parejas que exploran las relaciones abiertas, el intercambio de parejas o el poliamor.

Hablemos de fetiches y manías sexuales: preguntas e iniciadores de conversación para parejas que exploran su lado perverso y salvaje.

¡Cambia tu vida sexual para siempre a través del poder de la diversión sexi con tu cónyuge, pareja o amante!

www.sexygamesfocouples.com

Vacaciones sexis para parejas

https://geni.us/Passion

SOBRE EL AUTOR

J.R. James es un autor y profesional de la salud que tiene pasión por acercar a las parejas y reactivar su intimidad sexual. ¡La conversación erótica es algo poderosamente sexi, y sus libros de iniciadores de conversación han ayudado a muchas parejas a alcanzar límites sexualmente nuevos y emocionantes en sus relaciones!

Una conversación sexi con tu pareja es una experiencia de vinculación mágica. A través de estos libros de preguntas, las parejas podrán encontrar una forma fácil de mantener charlas sexuales abiertas y honestas. El resultado es una relación cargada de erotismo y sexualmente liberadora.

Made in the USA
Monee, IL
13 September 2024